龔橙評傳

史樹青題

周金冠 著

龔橙評傳

史樹青題

華寶齋書社

裂破古今　苦軒仁兄教書宗門語

橫斫天下　革樁樨集書

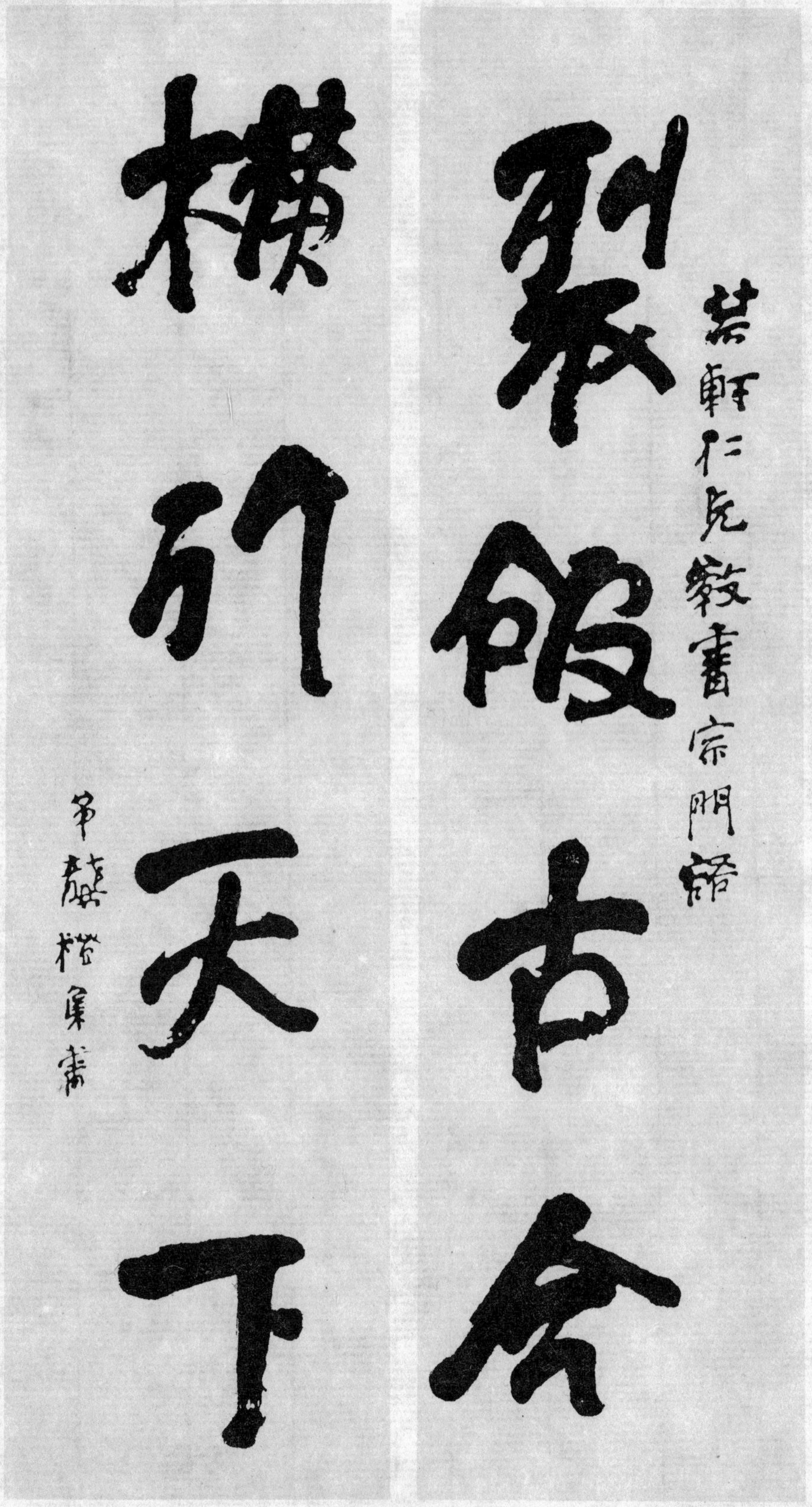

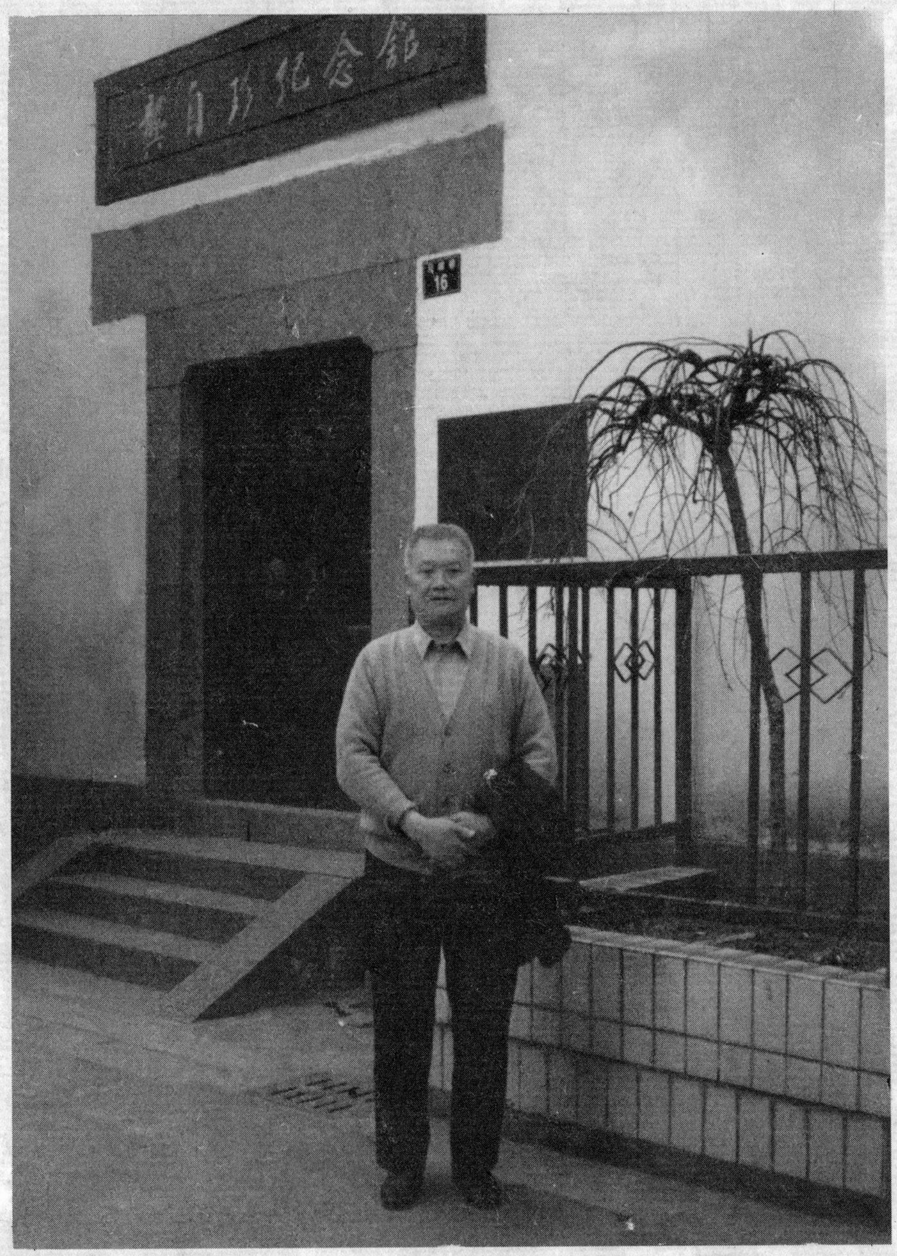

定盦别集

懷人館詞選

臺城路 送姚怡雲之江南

平生未信江南好輸君者番歸去明月揚州古來英
麗端合仙才人住佼游自許有載酒詞場吹簫仙
侶艷想穠愁一齊翻入四江譜 西風吟琵正苦又
牽情冶柳離恨千縷瘦硯敲霜古箏啼月真個
鏽凝無主相思怎汝教獨自憑欄冷吟誰語一
掬夫容送君斷腸句

龔橙評傳目錄

一、龔橙生卒年考

周金冠

龔橙者，著名詩人龔自珍之長子。原名橙，字昌匏，更名公襄，字孝拱，曾名禰（也寫袗），名宣，字熏尹，別署太息，又號小定、石匏、匏叟，也稱直凌、孟凌，是一位『胸次淵博無際』（見王韜《瀛壖雜志》）的怪人，終以不合時宜、窮困潦倒而亡。其生卒年有數種之説，大多有生年而無卒年，茲以考證後綜述如下：

先説為龔橙作傳者，重要的有下列數人：

一為王韜（一八二八—一八九七），清末著名學者，當時的社會改革家，龔橙的友人，他在《淞濱瑣話》卷五撰有《龔蔣兩君軼事》（內有龔橙小傳），還在《瀛壖雜志》卷五撰有《龔孝拱條》。

一為譚獻（一八三〇—一九〇一），清末著名學者，龔橙的友人，在《復堂文續》卷四撰有《龔公襄傳》。

一為李伯榮（一八九三—一九七二），現代學者，歷史學家，在《魏源師友記》卷六撰有《龔橙傳》（一九三六年印於邵陽）。

一為謝興堯（一九〇八—　），當代學者，歷史學家，在《子曰叢刊》（一九四八年五月）上撰有《龔孝拱別傳》。

關於其生卒年，張志春在《王韜年譜》（河北教育出版社一九九四年十一月版）『王韜三十三歲』中云『龔孝拱（一八一四—一八六一）』。唯此一家有其生卒年，但未知其根據與出處。

其生年均依龔橙與趙烈文訂交之蘭譜為據，即『一八一七年（清嘉慶二十二年丁丑）的九月二十七日時龔自珍二十六歲。』（見趙烈文《落花春雨巢日記》），趙烈文為龔橙之友，後《龔自珍研究資料集》與各辭書均以此為據）。

其卒年各書均無記載。最可靠的辦法，就是查閱龔橙好友的日記。閱趙烈文《能靜居日記》，在光緒五年（一八七九年己卯）二月十八的日記中載云：『賃輿訪念匏，探孝拱病信，云已於去臘作古。』閱龔橙好友譚獻自撰《日記》中，於清同治與光緒初均有與龔橙見面之載，寫至清光緒十二年九月初八日，（即一八八六年）記云：『龔定孫來談，述孝拱身後寥落，可嘆悼。』同年十月初三日又記：『龔定孫以公襄所撰《詩本誼》一卷稿見示。記弱冠時，公襄曾為予略言大旨也。』後譚獻把亡友龔橙之遺著《詩本誼》，收入其《半厂叢書》正式出版，以為紀念。由上述記載，已很明確，龔橙當病故於清光緒四年的臘月，《仁和龔氏家譜》載其卒年更為明確具體，即卒於清光緒四年十二月十九日即一八七九年的一月十一日。龔定孫為龔自珍次子陶（後更名寶琦，字念匏，曾官江蘇金山知縣）之子，即為龔橙的親侄，他名齊崧，字定孫，曾以知縣需次江蘇。上述所說較可靠，并以《詩本誼》一卷稿送譚獻處，以此說，則龔橙的生卒年應為一八一七—一八七九年（即清嘉慶二十二年丁丑至清光緒四年戊寅），享年六十二歲。著名學者陳乃乾也同此說，謂：『孝拱卒於光緒四年冬，年六十二歲。』（載一九四三年二月一日《古今》半月刊十六期《記龔半倫補遺》）

二、龔橙其人

生於清末之奇人龔橙（一八一七—一八七九），浙江仁和（今杭州）人。乃『九州生氣恃風雷』著名詩人龔自珍的長子。他初名袗，字公襄，改字孝拱，號小定、昌匏、石匏、匏叟，又號直凌、孟麦、太息。生於上海，長在北京。少即好彎弓騎射，又能識滿蒙諸文。兼懂數國外語，平素不拘一格，喜着西服，因此被人譏為不倫不類，索性他就自號半侖、半倫，還取了個外文名刷刺。著名學者王韜在《瀛壖雜志》上譽其『胸次淵博無際』，為通今博古之奇人。他與科舉無緣，久試不第，潦倒名場近二十年。終於流寓上海、杭州等地，著述以卒。

其間，於咸豐十年的六月（一八六〇）時，英使館參贊威妥瑪（Thomas wade）受人推薦，以龔橙熟知英語即聘為『記室』（書記），即帶其隨行至津，因其隨父龔自珍居京多年，頗知清廷情況，在中英方談判中，英人向他作些咨詢，是可能的。但僅此就將他與英法聯軍的『火燒圓明園』連在一起，被誣以『漢奸』惡名，實無事實根據，此與岳武穆之『莫須有』，豈非太武斷了。此說之發源者為小說家李伯元的《南亭筆記》，但他在寫時對此事前加了『或曰』，也不敢肯定。但此說一出，誤人非淺，人云亦云，真是說曾參殺人，你不殺人也沒人信了。但後來學者已有人評其《南亭筆記》之誤甚多。如著名學者、作家戚牧（字飯牛）在《牧牛庵筆記》中謂：『武進李伯元，別署南亭亭長。著有《官場現形記》，描寫腳靴手版之醜態，無微不至，儁版後風行一時。惟《南亭筆記》八卷，隨意着墨。荒謬之處不勝枚舉：如紀曉嵐先生之父姚安公，誤為外舅。李與銳中丞，山西人，誤作合肥李鴻章之兄弟行。著《治家格言》之朱伯廬先生，明末昆山秀才，誤宋朝大儒新安朱考亭……張冠李戴，指鹿為馬，此其所以為洋場才子歟！』

近來，許多學者和歷史學家都主張在文化研究中應當慎用野史，這是很正確的，只有還歷史以本來的面目，纔能得出較為準確的結語。對于研究者來說，無論正史、野史，都要放在同一尺度下來衡量，要把所有的材料互相驗證，以確定材料本身的可信性，不能單憑一些道聽塗說與猜想假設以及以訛傳訛不負責任的說道為依據，抓住一兩條傳聞，就不及其餘的開始大發感慨與議論，這能不鬧出笑話嗎？（注一）

關於『火燒圓明園』最可證明者，當為當時聯軍書記官英人施維何（Robert swinhoe）所著之Narrative of North Campaign 一書，記述甚詳：

『當夕陽西下之時，有聯軍進園，時為門監多人所阻；乃格鬥，殺門監，於是一鬨而進，散至各處。見陳設之華麗，器皿之珍貴，儼若一博物院；乃至一室，見一八五六年之中英條約，猶在書案上也。同時法兵則肆意搶奪，遇無數金錶，好之者以手攫之，不好者亂擲之，……。有英法多人入一室，群聚揭一寶箱，又有多人群衆，奪清帝藏衣櫥內之衣服，一時紛雜爭奪，毫無官長階級。……英軍因焚掠事起內鬨蓋最初得軍令焚燬者，而未嘗有所搶掠也；及後得入掠勿禁者，則滿載而回，軍令不一，人各不平。於是有掠者，則以九成金之亭頂贈隊長以為賄，甚有一軍官以所掠最多，恐有損於己，乃獨跨馬馳安定門而住宿焉。英軍長官欲彌縫其變，乃於十一日（即咸豐十年八月二十七日）拍賣所掠之物，來購者人塞途，爭相買也。一卷古書可值數兩金者，則賤價一元，古瓷器亦一二元或數十元不等。結果得三萬二千兩，及圓明園銀庫所得六萬一千兩，共九萬三千兩。乃以三分之二償搶奪者，三分之一償軍官。同時有英人則陳設所掠之珍寶古物於古廟，若一展覽會然。最後十月二十三日（即咸豐十年九月初六）法人入園火清帝之寢宮，於是可愛可貴之圓明園建築，皆受殘燬矣！』（注二）事實上，早在發動戰爭之前，英法兩國約定必須在十一月一日之前撤離北京，避免冬季作戰天氣嚴寒和補給困難之訓令。為達到此目的，英公使額爾金和英軍統帥格蘭特便想出了焚燒圓明園來威逼清政府就範的毒計。清政府正是攝於此淫威之下，答應了侵略者的一切條件。(注三)看了這些血淋淋的事實，孰是孰非，是再清楚不過了。既然主要的問題被洗刷清，其他的就不一一贅言了。

他一生著述甚多，惜大多散佚，其創作極為認真，主要著作如《六典》，易稿五、六次，時間長達十六年。又如《理董許書》，從一八二九年至一八七八年，時間竟達四十九年。其餘尚有《象書》、《六經傳記逸詩周書韻表》、《復定易韵十二類》、《論語、諸子、屈原韵表》、《石刻文字》、《器銘文録》、《秦漢金石刻録》、《秦漢金石篆隸記誤》、《漢石文録補遺》、《魏晉北魏宋梁東魏北齊周隋石刻録文》、《唐金石刻録文》等，散佚的主要有《元史》、《雁足燈考》、《孝拱手鈔詞》、《古俗通誼》、《行篇》、《名篇》、《小學三種》、《寫定尚書》、《寫定逸書》等。被友人出版的有《詩本誼》(譚獻編入《半厂叢書》)與《孝拱手抄定庵詞四十一首》等。不一一列舉，詳見後附《龔橙著述簡録》。

龔橙的書法，目前可見的僅有楹聯多幅和一些手稿與信札、題跋等，數量不多，且大多散佚。他撰寫的楹聯，流傳至今的有：『裂破古今；橫行天下。』『一甌滄海橫流外；環堵樓臺唇氣間。』『胸隔曠時天地窄；心腸熱處雪霜温。』(現藏故宫博物院)『蛇憐風、風憐目，不勝為勝；程生馬、馬生人，出機入機。』『直使天驚真快事；不教人罵是庸才。』(朱孔陽藏)。浙江圖書館則藏有他致伯元(歐陽伯元字子明)信札與書的題跋，他的部份手稿也藏於浙江省圖書館。後人評以『直追魏晉』，其書法字體奇特，取隸行之間大刀闊斧，各自相得，氣魄宏偉，有破門奪户之勢，呈橫天裂地之力，拙中見美，橫而不倒，脱俗去媚，趣味無窮。有人評其手稿寫得深處時，則『筆飛墨舞，可見躊躇滿志之概』。著名學者傅增湘先生藏其手書書法三種，評云『字體極為雄偉，可謂異軍突起，别開生面』。實甚公允。

龔橙是多才多藝的，他的詩、詞也寫得很好，功夫很深，可惜流佚未見傳。

龔橙的晚年是比較悲苦的，由於其一生放蕩不羈，性好揮霍，友朋相贈，到手輒盡，終至貧病交迫而亡。此一代怪人，不亦徐文長之儔歟！惜哉！

注一：見朱維錚《龔橙與火燒圓明園》(二〇〇二年八月三十日《文匯讀書周報》)

注二：見程演生《圓明園考》（一九二八年中華書局版）

注三：見鄭艷《焚燒圓明園是英國人的毒計》（二〇〇四年《學術探索》第一期）

附錄一：龔橙小傳數種

龔橙別傳（采自王韜《淞濱瑣話卷五·龔蔣兩君逸事》）

龔孝拱名公襄，仁和人，其名字屢改，而益奇僻。曰刷刺，曰橙，曰太息，曰小定，曰昌匏。湛深經術，而精於小學。性嗜酒，與余交最善，晚間賦閑，必詣其寓齋，與之作康駢之劇談，為劉伶之痛飲，上下古今，逾晷罔倦。孝拱謂飲酒需先知酒味，申浦絶無佳品，故從杭城運至，味極醇厚，試之果然。

孝拱為闇齋方伯之孫，定庵先生之子，世族蟬嫣，家門鼎盛。藏書極富，甲於江浙。多四庫中未收之書，士大夫家未見之本。孝拱少時，沉酣其中，每有秘事，篝燈鈔録，別為一書，以故於學無所不窺，胸中淵博無際。後毀於火，遂無寸帙，殆遭造物之忌歟。

孝拱生於上海觀察署中，後隨其先君宦遊四方，居京師最久，兼能識滿洲蒙古文字。日與色目人遊戲征逐，彎弓射雲，試馬躡日，居然一胡兒矣。在京與靈石楊墨林相稔，墨林素有豪富名，設典肆七十所，京師呼之為「當楊」。揮手萬金無吝色。孝拱曾與刻叢書未成，中多秘籍。

或言孝拱係毒龍降世。先是檇李三塔寺未建之先，其前有一潭，寬廣百畝，久為孽龍所據。有高僧偶過其地，知潭中有神物，將來必為民患。本擅咒龍之術，因即結壇潭側，面潭誦經三日，後龍現於曰：大師何苦我為？僧曰：汝在此潭中，造孽不少，我代民除害。汝若能使潭水立涸，可建寺基，則舍汝。且汝亦得成正果，永為佛門護法。龍領首而云。明日潭中無滴水，爰即以其地建寺。寺門所塑韋馱像，頗莊嚴，即此龍也。定庵先生中年乏嗣，其夫人詣寺求子，初入寺門，見韋馱聳身撲至，驚悸不敢進，歸即有妊。將產，定庵先生適在外，是夕見一偉男子，虎首人身，掩入其室，索之杳無所見。數日得家書，於是日獲一子，知非凡品。孝拱墮地時，啼聲甚雄，有薄膜蒙其面，剥之乃見。既生數日，有一僧造門求布施，與錢米不受，謂願得一見新公子，家人不可，久之乃曰：須識我言，他日勿至三塔寺，掉臂而出。仰天嘆曰：生非其時，出非其地，惜哉。

孝拱固淡於仕進，性冷雋，寡言語，儔人廣衆中，一坐即去。好作綺遊，纏頭之費數百金，輕於一擲。中年頗不得志，家居窮甚，恒至典及琴書。旅寄滬上，與粵人曾寄圃相識，時英使威妥瑪膺參贊之任，司翻譯事宜。方延房文墨之士，以供佐理。寄圃物以孝拱薦，試與語大悦。庚申之役，英師船闖入天津，孝拱實同往焉。坐是為人所訾病，晚節蓋頹唐不振。居恒好嫚罵人。輕世肆志，白眼視時流，無所許可，世人亦畏而惡之，目為怪物，不喜與之見，往往避道而行。舊所得書帖物玩，斥賣殆盡。

始納一妾，覓屋同居上海，擅寵專房，時繩其美於客前，而尤屬意於雙彎纖小。後又新購一姬，則其愛漸移，棄置別室，不復進矣。與妻十數年不相見，有二子自杭來滬省親，輒被逐，論為擬之陳仲子之出妻屏子焉。有弟曰念匏，以縣令候補江蘇，亦不相睦。卒以發狂疾死。死時出所愛碑本，其值五百金者，碎剪之無一字完。生平著述，無人收拾，散佚不存。余所見有《元志》五十卷，《漢雁足鐙考》三卷，不知尚在世間否？

予與孝拱皆文字交，孝拱所學尤邃。予以僅有詞二闋，餘無一字傳於世。……

龔孝拱（采自王韜《瀛壖雜志五·龔孝拱》）

龔孝拱上舍，一字昌匏，名公襄，仁和人。始名袗。繼改名橙，字太息，又字刷刺，名字奇特，皆出人意表。著《元史》未刻，藏於家。孝拱先世藏書極富，甲於江浙，五燬於火，遂無寸帙。隨官居京師最久，能識滿洲蒙古字，常角獵城外，彎弓射雲，試馬躡日，居然一健兒也。家傍西湖，湖山宛然在目。道光庚戌，林師薌溪自京師回，首經杭垣往訪之。孝拱持酒一壺，呼舟子同載，歷覽湖山勝景，遙望六橋煙柳，濯濯依人，不覺身行畫里。僑寓滬上幾二十年，性好揮霍，友朋投贈，到手輒盡。於經通小學，胸次淵博無際。詩詞特其餘事，然為之輒工，書法追晉、魏。邇來一切廢棄，專好天竺梵書，朝夕諷誦，亦當今之畸人哉。

（注一：此書作者在卷首自記寫為辛未年四月，即清同治十年，公元一八七一年。後跋為作者學生鄒五雲，時間寫光緒元年，即公元一八七五年，時龔橙仍在世）。（注二：作者王韜（一八二八——一八九七），江蘇甫里人（今名角直）。為近代著名的改良主義思想家、教育家。）

龔公襄傳（采自譚獻《復堂文續卷四·龔公襄傳》

龔公襄，字公襄，仁和監生……龔氏之學既世，時海內經生講東漢許鄭學者日敝，君乃求微言於晚周、西漢，摧陷儒，聞者震駭。《尚書》二十八篇，分別伏、孔讀定之。理三家遺書，廣以《史記》、《漢書》，諟正《毛詩》叙義，為《詩本誼》。又撰《形篇》、《名篇》，推究許書，皆持之有故，非妄作也。治諸生業久不遇，間以策干大帥，不能用，鬱鬱無所試，遂好奇服，流寓上海。歐羅巴人語言文字，耳目一過輒洞精。咸豐十年，英吉利入京師，或曰挾龔先生為導。君方以言讋長酋換約而退，而人間遂相訾謷。君久居夷場，洞識情偽。……懷抱大略不見推達，退而著書，又多非常異議可怪之論，所謂數奇者也。

（注：作者譚獻（一八三〇——一九〇一）原名廷獻，字仲修，號復堂，仁和（今杭州）人。清末學者，為龔橙友人，曾任安徽含山、歙、全椒、合肥、宿松諸縣知縣，後歸隱，閉門著述。）

龔橙傳（采自李伯榮《魏源師友記》）

橙，字孝拱，易名公襄，監生。龔氏之學既世，時海內經生講東漢許、鄭學者日敝。公襄乃求微言於晚周、西漢，摧陷群儒，聞者震駭。《尚書》二十彼篇，分別伏、孔讀定之理，采三家遺説，廣以《史記》、《漢書》。是正《毛詩》，為《詩本誼》。又撰《形篇》、《名篇》，推究許書，皆持之有故。嘗告同縣譚獻，謂『周頌有韵，古失其讀，淵淵誦之』（譚獻《亡友傳》）。定庵既歿，橙於次年抱其父遺書往揚州，就正於默深。默深乃為之編定、校正為二十四卷。序末有云：『君二子。長子橙以文學出其家。』「又，李伯元撰《南亭筆記》，曾載公襄在北京西單大街某羊肉館輕辱默深一事。此殆妄者故為之說也。公襄雖不肖，必不至病狂若此。公襄少時，本以謀策干大帥，不能用。乃鬱鬱無所試，遂好奇服，流寓上海。學習歐巴人語，耳目一過，輒能精洞。咸豐十年，英吉利入京師，誹者亦謂請挾龔生為導。圓明園之焚，且云公襄教之也。有是理哉！默深與公襄有二代之契，皆以經世學負一時之望。不過一略見懷抱，一則不能推達。故退而著書，為非常異誼可怪之論，所謂數奇而益見訾謷。

（注：作者李柏榮（一八九三——一九七二）湖南邵陽人，在湖南一師讀書時，與毛澤東同學四年。畢業後隨原校長易培基到故宮博物院（時任院長）工作，後至北大圖書館工作。此書於民國二十五年（一九三六）印於邵陽，後又再版。）

龔孝拱別傳（摘録謝興堯一九四八年五月《子曰叢刊》）

其子孝拱，聰明逾於乃父（即龔自珍），狂亦過之，因家學淵源，又親炙於老師宿儒之門，故具經史考古之學，戛戛獨造，不遜定庵。惟以性情乖僻，不合時俗，遂趨於偏激，舉世亦目之為『怪物』。

關於孝拱者，世人只知其為狂士，為怪物，至於其思想，學識，與在學術上之造詣，及投身外人之動機，均須搜輯史材，詳加詮次重為論評，以見此一代學人之本來面目。

蓋孝拱懷才不遇，在京師時屢遭困厄，遂不惜倒行逆施以泄憤。言者競傳，幾成鐵案。前者視先賢若徒輩，亦可謂反抗精神，不過文人狂態之表露，殊無足論。此則不僅有關孝拱一生名譽，且為近百年史實之最重要者，其經過與真相如何，是不可不辨也。

（注：前者指相傳孝拱嘗讀定庵著述斥為不通事；此則指火燒圓明園之役説者謂孝拱為外人向導并為主謀事）

綜觀諸家筆記之簡陋，紫詮（即王韜）之文，益覺可貴。使孝拱生平不至漂没不彰。無論其是功是過，知我罪我，凡注意孝拱其人者，要可參證，則文字之功，不其偉歟。……此具有神秘之歷史性人物，亦可為藝林奇士，殊不應使之只聞傳説，而不見於經傳也。

（一九四八年五月《子曰叢刊》）

（注：謝興堯，四川射洪人。學者、歷史學家，曾任北大女子文理學院、河南大學教授，曾編《逸經》、《文史》雜志。著述甚多。）

附錄二：龔橙著述簡錄

周金冠集錄

龔橙為學淵博無際，其著述除《詩本誼》有正式出版外，余則甚少見，下列其著述中附錄的一些序、跋，也可窺見其學識與研究。

一、《六典》三册，手搞本，原藏杭州高氏梅王閣。此書七易其稿始成，未刊。字用正體，古氣盎然，首有道光二十年（一八四〇）自序。（第五稿未録自序。第五、六稿書皮均記『咸豐六年』（一八五六），且稿尾均有後跋。第七稿封面自識云：『此第七稿此後始為定本。』）

六典者：首文典，二形典（凡百四十），三事典（凡三十六），四意典（凡三百七十五），五音典，六誼典（一、六典外，各典末均有序）

如按其自序之年至修改之五、六稿時，則已十六年，可知做學問須從點滴入手與不斷修正。下録其自序與跋文：

自序全文：

『予既改正古文為形九百八十，事三十四，意二百六十五。以為今世之古文，為秦漢不通六書，省改象形，曾改假借之形；而非庖羲黄帝倉頡五帝三王七十二代之舊也。説以隸書，以今日之書，習用程邈。而刊本許氏説文解字不特古文未復，篆亦隸後之篆。篆隸改古文屈曲大小方員滿實隨物之形為楕員，方直齊一曾省之筆。通脱之後，又自别嫌。今篆則又屈曲方直而成，而李斯製作亦已久廢，不足再存。貌書既沿，漢石多在，（天頭自批云：今存秦金石刻不如東漢碑隸書多近正是亦隸後之篆，惜玉篇不知用石正隸，以正篆，徒既不用篆曾俗字不用六書説形）學者可遂由隸以識古文也。

於是重定六書，以為周官之六書無形聲轉注，而當有音書，有誼書。形聲後起，不知假借者之所為。有形聲轉注，故假借廢不明。不知六書假借之用大，形聲不能奪。（天頭自批云：漢許慎父子以古文雜糅，泯没於形聲合意之中，既并不得為形書。形聲當别為書不得因六書亡缺而以形聲轉注補之，形聲與假借相反，轉注又與形聲造字之意相反也）乃補音書誼書。與形事意假為六書。而隋陸法言四聲二百六部之書，與明陳第、本朝顧炎武以下用陸韵分合古音，又皆不得為音書。漢劉熙之書，欲於聲求誼，而不辨古今文字。附會牽强形聲轉注，與夫漢唐以來儒者説經解字名物故訓，皆不得為誼書。音與誼不明，不知所以假借，徒數其迹，則爾雅釋詁釋訓釋言之書也。盡羅形聲，則所數又轉注之迹也，不得為假借之書（天頭自批云：經傳古文假借已收入別撰理董許書刪字之下）。假借非比字所可明，非比字所可盡。而為形事意音說五者之樞。予已成為五典，乃大序以卒發明假借之意，為六典。曰一切聖作明述皆自有而之無，有先知知後知，有先覺覺後覺，乃自無而之有；卒之吾心之精微，仍自有而之無；自有而無。自無而有者，晝夜寒暑，剥復生死，天之道也。吾心有精微者，自有而無，所以立天之道也。非有自有而之無者，又安能自無而之有哉？人心有誼，而後發為聲音，形為文字。世有世無，世明世昧，而人心之誼無絶續，聲音無授受。上古結繩而治，上古之文字，人心之所知也。夷狄羌戎，略有記識，以為文字，人心之所寄也。是故假借者，吾心自有之文字。故古者既已造形。而不禁人之假借，自有而之無之道也。必欲廢假借而盡造本形，無論形聲不能肖，即盡肖，是廢人心而徇物也。是湮文字之原，而遺縑墨之迹也。是使天下日趨於無而不復有也。是欲補六書而勢將無一書也。雖然，吾心自有而之無者，民但有誼與音而已。學問之所得，其精微又不可以詔人也。天下之物，方皆自有之無已，今日之務，先將使之自無而之有。大清道光二十年正月六典書成文字重明時在京師爨尹公褁自序。』

第五稿後跋文：

『咸豐六年舍杭州薦橋門内新開巷，重校本，羲軒復起，不易吾言。此書實稿始道光二十五年馬婆巷宅，宅即在清泰門内。時周一紀，而後大定。此為最後定本，并志，示後之人。』

第六稿後跋文：

『此與六典，皆創始道光二十年京師外舅陳先生憲曾南横街寓。明年四月，遂丁大故，奔歸杭州。越二十四年十一月，再丁大故。由是奔走江淮，攜此書綜定不輟。至咸豐五年，寓常州而七易其草稿，乃定此本。六年六月至杭州。檢記。示後之人。

此後又有定本。此不足據。十二月八日寓杭州清泰門章家橋東新開巷余宅。

此本雖不足據，勿使棄之。存以備正本之遺失，且示後人，知成書不易易也。丙子知之，此本賞充兒。』

其叙六典文末，除一、六典外均有序，今録全文於下：

形典文末序云：

『凡予正形九百八十一，類為七篇，人身、衣服、宮室、制度、日用、器械、天地、山川、草木、鳥獸、蟲魚具已。序曰：聖人之道莫大於豫，帝王之事，莫盛於備，學問之要，不外乎知；今夫文字之有象形，所以儲六合之情狀於一室，陳百王之大法於一朝，貫千聖之製作於一時一事。自有漢律，非知是實，非備是窺，非豫是師，而唯迹是姿，斯六合之情狀不儲，百王之大法不陳，千聖之製作不貫，不儲不陳不貫，則器不載道，學不究治，一出於姿，反以亂世，豈作者之適與？故大甲君共之形亡而人禽之别肴已；衣麗兒帶之形亡而夷夏之防隋已；井國封里之形亡，而經體之始未已；來犂升量之形亡，而日用之質缺矣；鐘鼓卜氏之形亡，而文武之烈蔑已；一水火風之形亡，而并生之禍亟已。如是而書，羲軒之象，何殊異方之字母？合音用三五之體，奚異獄隸之曾減哉？帝堯之言曰：予欲觀古人之象日月星辰、山龍華蟲、作會宗彝、藻火粉米、黼黻絺綉、以五采章施於五色作服，唐虞之修明也。禹采九牧之金，鑄鼎象物，魑魅魍魎，莫以逢之，有夏之修明也。周官保氏教國子六書，大行人九歲屬瞽史諭書名，聽聲音，外史達書名四方，文弄成周之修明也。周之失官，仲尼起而修明之。漢臣許慎説孔子書六經以古文，古文者自相似。子路問衛政奚先？子曰正名。子所雅言，詩書執禮，孔氏之修明也。後之王者，有敢亂名改作而卒不能盡易者已（原注：秦始皇以辠似皇改用罪漢文以對非誠以改對作新以叠太盛改叠武後遂以意造字），有以八體課最（漢律）而卒不敢遂廢大篆者已。至於窮極則亦必有修明之者，形復而後名可系也，誼可比也，事可識也，意可辟也，用可知也。』

事典文末序云：

『凡予正事三十六，别為一册，序曰：凡吻可象，有不可象，非象形所得而盡也。然而不可象物之不可象也。還以物之可象者，姑以我心擬之，是人必居其半，文字居其半也。故一黍一墨，皆形也。』

意典文末序云：

『凡予正意二百七十，為一册，序曰：凡物之可象者，前之聖人，既一一象之已，不可象者，物之情也。後之述者，以為形，而無不見，六合之内賾已，文字具已。六合之内不能出六合之外，而文字益大具。』

音典文末序云：

『以六律六同類形事意為十有二，以補周官書名之缺，序曰『天下之至無定者，其人之意乎？百里相笑，千里相詧，自命命物，各不相諭，然而古之聖人有正名百物者已。既為是象形之文，又一一而命之（原注：事皆依一二三音及所加形音意有不用形與合音），命之而各如乎其形，而民之耳目心志，始不得而自有，始各得而自有，始不相閡，市井囂囂，鮮不以為聖人之私也，蠻夷鴂舌，鮮不以為聖人之專也。牛鳴窌，鷄登木，合而不自知，齊天下之聲音者，其治人之道之始乎？同天下之聲音者，其治人之道之終乎？民生啞啞，孰先之？喜怒哀懼愛愛欲，孰後之？中不中也，孰中之？文字固不必有聲也。民將以其私與專失心之本然，失心之同然，而形亦將失之。是故寸寸而象之，又一一而命之。含宏象天（自注：黄鐘廣韵冬鐘腫宋用音也凡廣韵字但取其時所讀之音本此一類不同字之本音故形聲字多同聲而不同類。不可繩以造字之本音與所從聲也）。廣大象地（大吕廣韵魚虞模語麌姥御遇暮燭沃音也）。有陰陽之分，於是乎始合已（黄鐘陽聲，大吕陰聲，合而生太族夾鐘。律曆志所謂律取妻而吕生子，合而未生則為後世之入聲，入聲之不成音也。俗音又重讀入聲别去聲，古上聲如今去陽平，而不分，廣韵四聲二百六類所謂知音而不知樂者陽不能生，故陽聲至今無入聲。陰聲廣韵平上多與入去同從一聲字，亦可證取妻生子）。合而生必肖，肖亦必殺也（陽聲大族廣韵蒸登拯等證嶝音也陰聲夾鐘支脂之紙旨止寘至志職德音也合而生姑洗中吕）。再産而猶似廣廣乎其進也（陽聲姑洗廣韵東江董講送絳音陰聲中吕蕭宵肴豪尤侯幽筱小巧皓有厚黝嘯笑效號宥候幼屋覺藥鐸音也合而生賓豯林鐘）。三産而猶似渢渢乎其無所止也（陽聲豯賓廣韵陽唐養蕩漾宕音陽聲林鐘侵覃談鹽添咸銜嚴凡寑感敢琰忝儼豏檻範沁勘闞艷㮇釅陷鑒梵合盍葉帖洽狎業乏音也合而生夷則南宫吕）。四産而始斂，似其中不似其外（陽聲夷則廣韵真諄臻文欣魂痕仙先庚耕清青軫準吻隱混很銑猕梗耿静迥震問焮慁恨映諍勁霰綫音，陰聲南吕徹齊佳皆灰咍尼薺蟹駭賄海未霽祭泰卦怪隊代廢質術櫛物迄月没曷末黠鎋屑薛陌麥昔錫緝音也，合而生無射應鐘）。五産而盡入，似其外不似其中（陽聲無射廣韵元寒桓删山阮旱緩潸産願翰換諫襉音陰聲應鐘歌戈麻哿果馬個過禡音也於是復於黄鐘大吕不能再生故無入聲）。陰陽各六而成於十二，於是乎終而復始，天之道也。先王以文字制天下之聲音，而制禮作樂之原也。過則不中（東之為江音微齊之為佳皆音支脂之之為咍音尤侯幽之為蕭宵肴音歌戈之為麻音皆過於中聲其中又分則為二百六類），細則不中（冬之為鐘音摸之為魚虞音覃談之為侵鹽添咸銜嚴音真諄臻文欣魂痕痍耕清音之為先仙音兀寒桓之為删山音皆細於中聲）。後王失政，有敢以不中之聲惑聽亂形者（周顒沈約），先王之所必誅也。周失其官，以至於今二千余年，羲軒三五之所名，神瞽之所考，孔氏之所雅言，紛而為沈約謝眺王融之四聲；故孔子為政，必先正名，名不正，則言不順，以至於事不成，禮樂不興，刑罰不中，可勝嘆哉？有士焉伏而誦先王之書，悅乎游乎，大行人九歲屬瞽史也。思齊萬世之聲音，而天若牖也。於是盡復羲軒三五之正名，以合乎神瞽之所考量，學孔氏之雅言，補周官之缺典，以俟興禮樂考文者。』

二、《理董許書》一册，不分卷，手搞本，原藏杭州高氏梅王閣。

共三種本子，兩本附訂六典第五稿及第六稿之後。首有道光二十年自撰長序，序許書之誤（如半從牛，此正從止，用從卜，左從工，巫從工，京從高，不從反之，出象草木，冥從日，有從肉，宫誤宫，丘從北，老從毛，履從舟，男從力田，里從土）、許書之當補并（如人頁目口山川諸部）、當刪（如今書古籀大半俗誤不古籀文尤繁繆無理不可以六書説）、當補（三代以上器銘象形古文）之迹。

全書分：改正部首（理董許書一）、改誤俗字、并正文字、補許古文（大題下注云：『凡補皆依予書類不依許部』）、刪俗誤字、重次部目。

一册為定本，封面自署《理董許書全》。并自記云：『余識古文誠罕，此書作始於道光九年己丑（一八二九），余年十九齡，（應為十三齡）書重成於光緒四年歲戊寅（一八七八），余六十二矣。老耳而精神還少，眉落還長，鬚長過二尺，中閲四十九載。龔橙識於上海之夷場租樓。』以四十九年而成一書，可謂深矣。封面裏頁，原有作者肖像，已被揭去，中粘簽甚多。

兹録其定本自序全文：

『漢許慎説文解字自叙云：黄帝之史倉頡，初造書契，倉頡之初作書，依類象形，故謂之文；其後形聲相益，即謂之字。文者物象之本，字者言孳乳而浸多也。以迄五帝三王之世，改易殊體，封泰山者七十二代，靡有同。及周宣王太史籀著大篆十五篇，與古文或異。至孔子，書六經以古文，其後諸侯力政，不統於王，惡禮樂之害已，而皆去其典籍，分為七國，文字異形。秦始皇帝初兼天下，丞相李斯乃奏同之，罷其不與秦文合者。斯作倉頡篇，中車府令趙高作爰歷篇，太史令胡毋敬作博學篇，皆取史籀大篆，或頗省改，所謂不篆者也。是時秦燒滅經書，滌除舊典，大發吏卒興役，成官獄，職務繁，初有隸書，以趣約易。而古文由此絶矣。自爾秦書有八體：一大篆，二小篆，三刻符，四蟲書，五摹印，六署書，七殳書，八隸書；漢興有草書。尉律、學僮十七以上，諷籀書九千字，乃得為史，又以八體試之，郡移大史，并課最者以為尚書史；書或不正，輒舉劾之。今雖有尉律，不課，小學不修，莫達其說久矣。孝宣皇帝時，召通倉頡讀者，張敞從受之；涼州刺史杜業，沛人爰禮，講學大夫秦近，亦能言之。孝平皇帝時，徵禮等到百餘人，令說文字未央廷中；以禮為小學元士。黃門侍郎楊雄，采以作訓纂篇，凡蒼頡以下十四篇，凡五千三百四十字。群書所載，略存之矣。亡新居攝，使大司空甄豐等到校文書之部，自以為應製作，頗改定古文。時有六書：一曰古文，孔子壁中書也；二曰奇字，即古文而異者；三曰篆書，即小篆；四曰佐書，即秦隸書，秦始皇帝使下杜人程邈所作也；五曰繆篆，所以摹印；六曰鳥蟲書，所以書幡信。群國往往於山川得鼎彝，其銘即前代之古文，皆自相似，雖叵復見遠流，其詳可得略說也。而世人大共非訾，以為好奇，詭更正文，鄉壁虛造不可知之書，變亂常行，以耀於世。諸生競說字解經誼，稱秦之隸書為倉頡時書，云父子相傳，何得改易？乃猥曰馬頭人為長，人持十為斗，蟲者屈中，苛字止句；若此者衆，皆不合孔氏，謬於史籀。俗儒鄙夫，玩其所習，蔽所希聞，不見通學，未嘗睹字例之條，怪舊藝而善野言，以其所知為秘妙，究洞聖人之征旨。又見倉頡篇中幼子承詔，因號古帝之所作，其辭有神仙之術焉。其述誤不諭，豈不悖哉？書曰：予欲觀古人之象，言欲觀古人之象，言必遵修舊文而不穿鑿；孔子曰：吾猶及史之闕文，今亡也夫！蓋非其不知而不問，人用已私，是非無正，巧說邪辭，使天下學者疑。蓄文字者，經藝之本，王政之始，前人所以垂後，後人所以識古；今敘篆文，合以古籀，博采通人，至於小大，信而有證，稽撰其說，將以理群書，解謬誤，曉學者，達神旨，別部居，不相雜廁。據叔重言，倉頡之初，書皆象形，五帝三王，改易殊體；改易殊體者，如丅之為□，為□，•之為□，為□，□之為□，□之為□。史籀大篆不可知，叔重言或異古文，孔子書六經以古文，是不用大篆也。七國文字異形，秦篆省改史籀，形聲相益，蓋始於茲？叔重疾其時不別文字，不識古今，慨然欲復倉頡之書契，孔子之六經，是秦漢諸儒之所不及而貽後學於無窮者也。惜其書古俗仍多未分，以古合篆。其時古器出土尚少，所合寥寥，不知所據五千三百余字中古文正多，所當一一改復象形。凡古象形字，一文一形而已，後人輒嫌其彼此相似而加一形；或加一形以為注，或加一聲以為別，如□用為南北而加□□加□，聲留加卜，口加□，□加止聲，□加已聲，□加□，又加□，□加黍聲，□加已，□加□聲，□加□，□加亻，亻加口聲，□加已，去其加，皆古文也。古人之文，象形而已。物之能自異者，聖者既皆象之，其不可象則用它形，所謂假借，後來作者必欲一物一事皆有其字，則以其形合它形以為之，亦不能不相假借；於是有轉注。轉注者；形色之假借也。周保官氏教國子六書，劉歆班鄭衆皆曰：象形、象事、象聲、會意、轉注、假借：叔重亦曰指事、象形、形聲、會意、轉注、假借；夫周初豈有形聲轉注？假借與形聲不并域而居，假借轉注不必分，漢初諸儒已不通小學也矣。叔重既不知改復古文，於形聲之中，後來曾許古文多為形聲，籀文動合數文，尤繁謬無理。自唐人謬初北魏獵碣用其時所造始光新字者為周宣王時刻，遂傅會為籀文。曾許氏者，大氏依旁始光字造；吾恐秦書八體，叔重未必盡見。叔重云：六書中古文，孔子壁中書也；而云壁中書者，魯恭王壞孔子宅而得禮記尚書春秋論語孝經；又北平侯張倉獻春秋左氏傳，禮記左氏又豈能盡古文乎？此皆其子冲妄曾。建光五年召陵萬歲里公乘許冲上書云；臣父故大尉南閣祭酒慎，本從侍中騎都尉賈逵受古學，慎博問通人，考之於逵，作説文解字。慎前以詔書校書東觀，教小黄門孟生李喜等，以文字未定，未奏上。今慎已病，遣臣齎詣闕。冲後叙云：此十四篇五百四十部九千三百五十三文，重一千一百六十三，其建首也，立一為端，方以類聚，物以群分，同條牽屬，共理相貫；據形繫聯，引而申之，畢終於亥。今觀五百四十首象形多奪，而有形聲以統尤俗之字。其所串屬繫引，謬誤甚多；始一終亥，一者識字之形，不知其形而妄

説之，以居於首；亥當并豕，有十日十二晨次人，如爾雅急就，非叔重理群類之旨也。叔重之説文也，説其本義而已；書未成，多未説；或但云象形象某某，是説其形也；二者可以相足。如説甲至女陰，曾者必欲補完，遂多非本義本形。如説甲人頭空，白白并鼻，[illegible][illegible]并象人頸，又手也，亦人之臂亦，中私也，也女陰，甚至以形聲説象形，以會意説象形。會意者，以此一形，合彼一形，以彼形形此形也。多即用彼形之聲，書多誤入彼形之部，而倒説之。形聲音，以此一形合彼一形之聲，書或誤入彼聲之部，而倒説之。古音書亡，叔重但説某聲，當於象形建首之下，説其聲類。竊以周官當日，如有六書，必當有聲書與義書，而必無形聲與轉注。曾成者不知補，不明古音，多改原説某聲為某省聲，又不能遍識古文殊體；不知某聲即某聲也。諸子百家，皆好説字，觀於叔重所説本形本義而皆廢矣。曾者引左氏以下説字，大氏馬頭人人持十之類也。叔重之稱經也，如孝經、仲尼居，左氏、韓厥執馬首，詩、桃之媄媄，真古文古字也；惜不多見。曾者漫引經傳異字，於叔重之旨無當。孔安國家有古文尚書，安國以今文讀之，漢魏人遂名孔本為古文尚書；而以歐陽夏侯尚書為今文尚書。其實古文尚書經安國以今文字讀易，不得為古文尚書矣。叔重方將觀古人之象，復孔子之迹，何有於漢之古文今文？而冲又妄曾云：其

稱易、孟氏，書、孔氏，詩毛氏，禮、周官、春秋、左氏、論語、孝經，皆古文也。此不過以賈逵世傳左氏古文尚書毛詩，諂附時貴，以顯其書，不知父之絶業至尊，妄以古學尊父，真可鄙也。所引逵説，多類叔重所譏，嘗嘆漢以後不分象形與形聲，不知象形喚作古文，是東周以前製作，形聲乃是俗字，為周末秦漢製作，叔重書既不成，此事卒無明日，余自束發受經，以至今日，未嘗一日去書，既盡復書中古文，又幸後叔重千七百年，得盡見古器名與秦漢至唐石刻，以正篆説，不為無證。因記其改誤之迹，竹公乘請，顔曰理董許書。光緒四年正月寫成於上海　龔橙自叙。』

《理董許書》二十一册，稿本。現藏浙江省圖書館。前有自序：『清道光二十年正月六典書成，文字重明，時在京師。六書假借之用，大於形聲，發明假借之義意為六典。一切聖作明述，皆自有之自無，有先知後知，先覺覺後，乃自無而之有，卒之吾心之精敏乃自有之無。自有而無，有無而有者，晝夜寒暑，剥復生死，天之道。吾心有精微者自有之無，所以極生死，天之道也，無所以立天之道也。非有之有而之無者，又安能自無而之有哉！今日之務，先將使之自無而有者。見謝國楨《江浙訪書記》（上海書店出版社二〇〇四年一月版）

三、《象書》一册，七篇，手稿本，原藏杭州高氏梅王閣。此書《復堂日記》作《象篇》，封面原題《象義七篇》，後改今名。里頁寫『直麦四十二歲象』二行，其像已被人揭去，末有自序。首頁第一行大題側注云『戊寅秋日重録定本。直麦精省凡六十紙。』實際為六十四頁，計：

第一篇：人匕古俗一覽，文四十六，重八十四，十三頁；

第二篇：走仄文三十二，重四十四，三頁；

第三篇：十井文六十六，重九十九，六頁；

第四篇：盤敦文一百有四，重八十一，八頁；

第五篇：契刀文七十五，重十二，七頁；

第六篇：一天文八十八，重七十九，八頁；

第七篇：毛羽文七十八，重六十，六頁；

共五十一頁。末頁題云：『大凡文三百五十光緒四年（一八七八）九月寫成於上海』二行。

次空頁四頁，又次為『識事』二頁，凡一二文十九，重文九，會意文九十又六重十四，七頁。

尾跋文如下：

『時大清光緒四年九月既望，龔橙直夌自為寫成於上海夷租屋。時齒落復生，天畀二十萬金，精神復如少年。此遂續倉頡孔丘許慎二千年之墜業。其福無量，壽亦無窮，自禱自頌，樂亦無亟。將携京師精刊之，以惠後學。』手稿書法筆飛墨舞，可見其躊躇滿志之概。

四、《六經傳記逸詩周書均表》（亦有稱其為音韵表），二卷，原稿本。原藏杭州高氏梅王閣。首頁大題上自題云：此稿只詩均（韵）細校定，余不可據，左傳已校，易禮多未定。』全書分：

亼（先作宫）類第一，末行眉批云：『凡易均以後蘭格本為定取嵌各類』云；

與（先作烏）類第二；

㐫類第三（先作厷類第四，後以删去獲類第三故改）；

牛類（先作貽謎改右後改牛）第四；

君類第五；

或類第六；

紅類第七；

侯類第八；

殼類第九；

昌類第十（天頭批『卷之二』三字）；

涉類第十一；

合類第十二；

人類第十三（初作人後改君後又改斤終復圈去不補其字今姑從其朔）；

莙（初作佳，後改威最後改君）類第十四。

日類第十五；

元類第十六；（眉批云：『此二類文字多須改入上二類』）

兀（先作何）類第十七；

月類第十八。

末頁自題云：『六經傳記韵表兩卷完』一行。

又題：『庚子五月館南横街外舅陳學士宅，重寫成，六月又并已校定叙成記之』，『重録時必須取各書備檢易韵末細乙尢須合陰入細對識之』二行。

五、《復定易均（韵）十二類》，一卷，原稿本，原藏杭州高氏梅王閣。（也稱易韵表）用十行蘭格紙抄。首頁欄外識云：『易韵多誤，已易有定本。』内容分：

[illegible]類一；

與類二；

囟類三；

牛類四；

紅類五；

侯類六；

昌類七；

涉類八；

君類九；

莙類十；

元類十一；

兀類十二。

六、《論語諸子屈原均（韵）表》一卷，原稿本，原藏杭州高氏梅王閣。首頁有眉批云：『周以前實無四聲，此表必存三百之鈞，經後人改從四聲，諸子多未經改，正可相證也。』

又云：

『周末實已有入上，乃强使隸吾十二類中，不可也。然聚而一覽，因以知此時陰聲亦尚未有去，陽聲尚未有上；觀陰類去與入上韵處，陽類上與平韵外可悟。繙閱之勞，亦不徒矣。勿以入全書可耳。』注：以上四、五、六三種書共四卷實為一册，封面自題：『尊典一卷』『論語諸子均二卷』『六經傳記逸書均表二卷』三行。

七、《石刻文字》，四卷，二册，原稿本，原藏杭州高氏梅王閣。第一册護頁有『古微堂藏書記』橢圓朱文印，首有自序，末有後序。前序云：

『篆隷曾省古文象形，又改象形以就其方員之一致。而五帝三五之製作，文字之狀貌，不可得而見矣。篆書之存於今者，其迹有郎邪臺石刻，其書有漢平帝征爰禮等百餘人所説，揚雄采以作訓纂，凡倉頡以下十四篇五千三百四十字，漢許氏書所據以説解者。倉頡一篇李斯自作，程邈無書，八體六書制遂不傳。其迹存者，東漢人刻石數十，及宋洪氏從石刻移寫，名曰隷釋；或以韵次其字，而不辨形義不知棄取者，觀秦刻石，知李斯不識古文。篆書之吴，吴於作者，不待漢唐以後傳寫之吴也。邈迹無聞，東漢石刻，大氏於形近則彼此相沿，又競書好，燬形而任筆，然其沿古文象形與古文殊體出篆外者甚多，有數十字一字十數見，從未有如今篆書之吴者，始晤下杜之作，蓋不得已，非書石者所知。其同於篆吴，與彼此相沿，任筆取勢，則皆有不吴者，可自相正。皆書石之過已。夫禮等所記，其形隤已。揚雄采録，必有據依，以定於一，其餘惜不可得聞，然許書所引它説，多可笑者，若宋洪氏所録五倍，其書今存，宋刻幸存，衆形具在，何以無如漢許叔重者，分別部居，説成一書；又何以無如揚子雲者，采續史篇，以定十一？苟有識古文者，別白是非，以隷書之沿古文象形者，證古器名及許説古籀，以隷書之沿古文殊體者，補古器及許説古籀，且以是正斯篆，里董許氏。又生後宋洪氏，隷迹止此，益不可以不務矣。録石刻文字。』後序云：『書之托於金石以至今日者，秦漢篆隷之迹，壽已過二千年，托於木與楮墨者，南宋時刻篆釋隷匄諸書，八百年，中間已不能不移寫重刻，文字存而形容亡已。洪景伯欲摹寫隷形為韵而不成，即成，至今日能毋移寫重刻乎？劉球隷韵十卷，嘉慶中揚州重刻舊拓，以今所存石拓對之，往往而吴。其録字，於書法小異，輒再録之，而於隷書之近古文象形，與古文殊體，既不識而不敢録之矣。又有吴識如以日稷為稷，以徒為從，以匈奴為[illegible]，以畀其為[illegible]，以憂為夔，以麋為麇，以母為毋，以𡣍(嬴之吴)為嬴，以遷為還，以更為叓，以穾為穿，以堯為嶢，以槗為撟，以躳(邪)為躳，以烋為烋，以波(汲)為没，以苢為芒，以飛為找，以疆為畺，以暘入平，以亨(永亨)入平，以廾為升，以石經尚書各共爾事維正之共，與史晨共禋祀為衆共，以隊為隧，以痺為庳，以句陽為章句之句，以禦(御)為衛，以差為左，以爰為舜，以并(美)為笄，以宮(官吴)為宦，以殷為段，以速為速，以悏為烄，以夫為失，以朱(柒省)為未，以炳(炳吴)為炳，以績為續，以劫為勒，不似從石拓審録者。宜聚州集蚩其編次疏略，采字譌舛，隷釋叙於乾道三年，曾改於淳熙三年，玉海載劉韵成於淳熙二年，疑即用洪韵以成書，故所據諸刻，出釋續外者甚少。洪氏當日集此非易，劉氏果亦集此石拓，不應著書如此粗疏，觀其吴識，似并未及取洪釋原文一校讀出。慶元三年，洪景盧叙婁機漢隸字原，云婁君彦發守吾州，刊此，吾兄文惠為韵書摹寫至難，衆史孫甥不堪晉一筆，使獲睹是，應興不并時之嘆。今觀其書，仍不出以韵次字，無大過劉。不知何以遽名字原？且即用劉書，劉吴識字雖有更正，而吴字仍多未删。雖有曾字，而於石刻古文殊體遺者由多。多收假借於本字之下，尤非字原旨已。亦有吴識如以邪為鉊，以技為祇，係陽楊君予字吴入平旬，以弜（張省）為弧，以儀為倪，以促為俳，以賓為賓，以肘為欣，以雉為難，以舩為船，以多為多，以鷹為膺，以㐬（不吴）為梳，以平為本，以懇為以悫，以玔（冉為糾）為玖，以淵為汭，以再為再，以怕入禡，以逮為速，以遯（此字不知何從亡白駒以遯阻知是遯字）為逐，字且不識，何有於原？凡兩書識吴，亦有沿洪，要如釋續之勤審，恐皆無論為役，生平今日，所見漢魏石拓，視洪釋目録，才六之一，欲於此三書者録補遺文，蓋不可以不審已。（隸繹不用轉抄昆山葉氏所藏抄宋本黄蕘圃以校汪刻明本者也，知當日洪録已不苟隸續前七卷用轉抄泰定刊本以下用汪刻明本婁旬有嘉定期壬申饒州重修本，未見用常熟毛氏重刻饒本重刻為坊間不知隸書者所移益不勝正已）若有彼此相沿，信筆取勢，不可勝正者，又烏用盡摹以疑後學？余既録此，可證古文而補殊體者，已不為少。洪婁之志，其亦可以無恨也與？」

八、《器銘文録》不分卷，二册，原稿本，原藏杭州高氏梅王閣。此為龔橙手稿定本。護頁有『古微堂藏印』及『乙丑三月（一八六五年同治四年）蝯叟讀於上海』手識一行（即何紹基曾讀）。另自粘『鼎彝文録阮元』拓片一紙，蓋擬借作題署者。有自序六篇，第一篇題『自叙器名文録』，以首兩序最有關本書撰述緣起與内容，録全文於後。

此書收録銘文，均就印本剪貼，次第秩然。另有一本，題《古器文録》一册，當為初稿，自序只五篇，内容各篇，如第七卷末記『大凡象形七篇』，第八卷末記『大凡識事一篇』，第九卷末記『大凡會意一篇』，第十卷末記『器銘象事一篇』，第十一卷末記『器名合書一篇』，第十二篇末記『凡器名畫文一篇』，第十三卷末記『凡器名古文假借一篇』則每卷均有專屬。卷尾有跋文二行：『丁丑三月九日入城重寫，戊辰歲暮校補，新居洪口。』（可見其定稿時間，即戊辰年為清同治七年（一八六八）時校補，丁丑年為清光緒三年（一八七七）時重寫，時居洪口）。

下録此書之自序一全文：

『漢許慎為《説文解字》自序云：倉頡之初作書，依類象形，故謂之文。其後形聲相益，即謂之字。又云：群國往往於山川得鼎彝，其銘即前代之古文。皆自相似，周宣王太史籀著大篆，與古文或異。至孔子，書六經以古文。其後七國，文字異形。秦兼天下，李斯奏同之，罷其不與秦文合者。斯作倉頡篇，趙高作爰歷篇，胡毋敬作博學篇，皆取史籀大篆，或頗省改，所謂小篆。是時秦燒滅經書，滌除舊典，初有隸書，以趣約易，而古文由此絶。是古文無不象形者。象形者，象一物之形。象形簡，故相似，又象形文少，多相假借，故相似。若形聲相益，安得相似？而以予今日所見器銘，與夫宋吕王所録，大氐古文與形聲錯出，如後世古文字者。其視漢郡國山川所得，叔重所見，大不牟已。此由唐宋以後，有昉鑄，有偽鑄，不知古今文字之别，不知古器銘，亦如尚書二十八篇，本皆象形；古文經伏孔以漢隸書讀易之，而後易形盡識，其義可知。其為象形之文者，如二十八篇中古文不易隸書，猶古文尚書孔子所書六經已。其有形聲字者，則如伏孔讀易之，猶漢今古文二本，與東偽古文已。古文托於漢人讀易之後人猶知之；偽器銘托於秦漢讀之先，而人不晤，文字不辨，小學久廢故也。湯之盤銘，武王席幾鑒盥盤諸名，考王嘉量之銘，衛孔悝之鼎銘，正考之鼎銘，讒鼎之銘，禮至之銘，嗛嗛之銘，不知皆誰讀易？美陽之鼎，則張敞所讀易也。夫以隸書易古文，以形聲本字易古文假借，此非盡識古今文字，學有傳受，如今古文大師通倉頡讀者，不能。若如吕王所録篆銘而隸釋，則亦何難之有？而漢廷獨讓一敞哉？今器銘於古文殊體與古文異許書者，多仍不易，蓋不識也。昉鑄偽鑄，取前人讀易之銘，篆書而模埿之，其予未讀易之古文殊體，與異許書者，則多摹誤，或改同許；又取一名，衍為多器，則反曾入俗字。元明俗工，取吕王書傳寫失吴者，而模埿之，又戲作也(如阮録之相夫亞寶鼎玹姜鼎皆取自吕王而模誤，吴榮光録戊日鼎更沿博古原缺此等原為不識字俗工戲仿并非偽作録者尤可笑)。又有憑空偽作文辭，一覽可知，則妄作也。近人猶較量於字之多少，以定為商周，意測國邑名氏以傳之某器，辨别色澤華樸以知久近，此何異奉薛季宣書古文訓為古史竹册也？余長京師，往來大江南北，得見故家藏器百數，裒拾盈千。其銘苟有一二古文，不見經傳，不見字書，可正篆許之誤者，概所不棄。其銘或偽，而此文固不偽，必有所自，非作偽者智所能為。辟之尚書一篇之中，他文已易以形聲，此獨不易，許書雖經後人曾雜，而古人具賴以存；若非此仿鑄偽鑄，此諸古文何由至今日也？且所不易者，象形殊體，古文異許，則所易者，太氐不出許書，然則雖出唐宋仿偽。今之所獲，未必不逮漢郡國山川所獲得？叔重所藉以定古文象形識事，類取之以補李斯以下諸人之所不見，庶幾五帝三王改易殊體七十二代封太山靡同者，猶復略見於今日，而灼然可見篆隸與許之多誤。其一二古文假借，亦足正六經俗吴；其匜壺敦簋尊爵之制，足以考定漢唐人説經，而正聶陳之圖。若夫器之不度，若兒戲，若明器，不難一一别識也。録既成，可無輿師之求，不惜泗水之淪也已。咸豐十一年十二月(一八六一)序於上海城内。』

自序二全文：

『凡古器之文亦當分别觀之，一者、古文象形而多殊體，許叔重所云五帝三王改殊體，封太山者七十二代靡有同焉者也。其為許書未有此形之文，亦甚少；此予今日所據以補許而正篆隸吴改與許書吴説者也。惟叔重以古合篆，即以篆筆書之；余録入象契理董，亦不復得能如其書，故又别録為此。二者、器銘之體，有省有羨，後世行草之所由昉，如甲省作十，[illegible]省作[illegible]，品省作[illegible]，包省作巳，……羨作丨，重文則省書下一作二不必書，以古象形之文繩之，此可想見古人契竹木。三者、象形之中有象事，事為日用，不可廢，故作者以補象形之缺，器銘亦有自作象事，非古有之象事也。……則不以補許。四者、器銘又有合文，亦如會意，而非會意也；又非形聲也，而為會意形聲之所出。視後世屬文簡而明，而屬文之祖也，如十一篇。五者、犬豕羊馬鹿廌象兕鳥鴨雁蝙蝠龍魚龜，皆為畫，古之聖王視鳥獸之形為文，唯在簡而能别，所以為製作，不貴畢肖也。而作者心閑手敏，遂至於此。六者、當王之書展轉摹寫，不得見原銘，不知漢人所謂書好古亦有之，不妄意古人文字取識事物而已、不若漢後求工於書。豈知墨本中一二象形，各有狀貌，各有性情，三千年來，氣足神完，即此可辨器之真偽。有此亦者，故既以補許者撰入象契理董，又别為器銘文録以觀之。』

上文龔橙寫定於一八七七年(即清光緒三年)。

九、《秦漢金石刻録文》一卷，原稿本，原藏杭州高氏梅王閣。此卷自『秦二世刻琅邪合刻石』至『四老神祚幾刻字』，凡五十九條。

十、《秦漢金石篆隸記誤》一卷，原稿本，原藏杭州高氏梅王閣。

此卷自『秦二世刻琅邪刻石殘字』至『豫州從事孔褒碑』，凡五十九條。

十一、《漢石文録補遺》一卷，原稿本，原藏杭州高氏梅王閣。

此卷自『建平五年郫五官像史石工刻』至『騶氏二鏡』，凡九十八條。末有跋，兹録其全文於下：

『洪文惠自叙隸釋云：既法其字，為之韵，復辨其文為之釋，其弟文敏序婁機彦發漢隸字原云：文惠書五種，釋纘韵圖續，四者備矣；唯韵書不成，以為蠹竭目力，摹寫至難，衆史堵廧，孫甥魚貫，不堪晉一筆也，使獲睹是書，且悉循其隸釋，次第，應與不得并時之嘆。今觀彦發書，以韵次隸，殊體兼載，許氏説篆之後，小學不可無之書。惜其仍用洪法，以韵次形，而不能説隸之異篆者，以補篆而正許，而麗許書也。嘗取今所有漢石以對婁韵，形失已多，則其他吾所未見者甚多，可憑信乎？是并洪志未易補也。有宋嘉定重刻本，吾未得見，見虞山毛氏重刻宋嘉定本，則任俗工不知國書者迻刻，其形失更可知。近揚州重刻宋石本劉球隸韵十卷；據玉海，此書成於淳熙二年，洪文惠有書劉氏子隸韵，譏其輯次疏略，采字誤舛，皆誠然已、而婁韵實籍劉韵以成書。雖曾多劉書所不敢收之殊體，而沿吴不少。又有劉不吴而婁吴，則或迻寫之失。亦有兩韵不同，深於隸書者自知，一失不須盡有石證，則以今存漢刻與二書參觀而得之，斯二書者，亦未可以遽廢已。既用景宋抄本隸釋隸續補首缺文，又以此二韵參定而慎取之。』

十二、《魏晉魏宋梁東魏北齊周隋石刻録文》，一卷，原稿本，原藏杭州高氏梅王閣。

此卷自『魏公卿將軍上尊號奏』至『大業十二年左御衛長史宋永貴墓志』，凡八十七條。

十三、《唐金石刻録文》，一卷，稿本，原藏杭州梅王閣。

此卷自『武德九年宗聖觀記』至『後梁貞明六年滎陽縣造院修佛殿記』，凡八十五條。末尾有『乙亥五月重對畢』自記一行。

上述九、十、十一、十二、十三等五種五卷實為一册，均為原稿本。後二種原署作『魏琊南北隋唐石刻録文一卷。』

十四、《元志》，五十卷。其友王韜在《淞濱瑣話・卷五龔蔣兩君逸事》中云，曾見此書，已佚。

十五、《雁足燈考》，三卷。見同上。已佚。

十六、《孝拱手鈔詞》，已佚。

十七、《古俗通誼》，已佚。

十八、《行篇》，已佚。

十九、《名篇》，已佚。

二十、《詩文集》，四十卷，已佚。見《文苑雜録》。

二十一、《算沙室全藏目録》，不分類，四册，手抄本。現藏北京圖書館，有鄭振鐸跋，八行，字數不等。（算沙室為龔橙書室名）

二十二、《小學三種》一册，抄本，已佚。

二十三、《寫定尚書》，二十八篇，已佚。

二十四、《寫定逸書》，四十二篇，已佚。

二十五、《詩本誼》，一卷。此書據《八千卷樓書目》已收入《半厂叢書》内。（半厂叢書為龔橙友人譚獻所編叢書），（見宋慈抱《兩浙著述考》）

二十六、《龔孝拱校金石萃編》，一册，刻本，為清青浦王昶原著，現藏北京圖書館。

二十七、《龔孝拱校本癸已類稿》，十五卷，為清黟縣俞正燮撰，現藏浙江省圖書館。（見嚴寶善《販書經眼録》）

二十八、《兩漢金石記》，見《葉景葵雜著》，葉氏文謂：『此龔孝拱校本，凡總目加墨點者，均以原石拓本或名家鈎刻本校讀，精審之至。前見所校劉熊碑，翁跋，詆訶不少假借。此書雖亦訾翁之不學，而於其論之精語，則傾倒備至。孝拱善讀書，蓋非信口雌黄者。辛巳（清光緒七年，公元一八八一年）二月喬估自蘇州寄來。揆初。』

二十九、《孝拱手抄定庵詞四十一首》，後題：『此先集定本，咸豐辛酉冬識。子山先生上海索觀詞稿録副請正。龔橙校正。』（咸豐十一年，一八六一）

三十、《湯成烈（清清苑人）雜著》，一卷，手抄，已佚。（見《中國古籍版刻辭典》一九九九年二月齊魯書社版）

三十一、《徑山藏目》，不分卷，抄本。現藏北京圖書館。

三十二、《詩比興箋》清魏源撰，龔橙跋。龔氏跋文云：『此實魏公所為。憶道光己丑（清道光九年一八二九年）大人官京師，寓上斜街，魏先生館藤花廳之宦，長夏箋詩一編，日仄不息，成此卷也。橙記。』（見傅增湘《藏園群書經眼録》）

三十三、《一行居集》，八卷，附一卷。為清道光五年已酉（一八二五）葆素堂刊本。後有龔拱跋文，寫於清同治十年辛未（一八七一）。全文如下：

『大人官京師時有此書，小子時未有知識讀之，匆匆三、四十年，求之久而不得，歲庚午，識隱莊謝兄，惠借讀之，泣誓頂禮，隱兄之德，亦不敢忘也。辛未穴日，橙志，時同寓洪口。』（見傅增湘《藏園群書經眼録》）。

三十四、《龔孝拱致伯元手札一通、兩紙》，（此伯元非李伯元）現藏浙江省圖書館。

三十五、《定盦文集三卷續集四卷文集補二卷雜詩一卷別集詞一卷》三册其中續集卷二有二則末注，署名『大息』，（大太通用，當為太息，為龔橙别署）今録於下：《壬癸之際胎觀第九》末注云：『此心書九篇，乃就儒者語言文字説佛理，成一家言，是入佛因，非佛家之文章。男大息識。』《撰四等十儀》末注云：『此但臚舉古之朝儀，整齊其世傳，以俟百世。有案無斷，在史家體裁最貴。遷固後，杜佑尚知之，鄱陽、夾漈放矣。又古人之所有者。如此而已。如有出於四等十儀之外，亦俟來世君子補之。古人則實實無之爾。男大息識。』（見《蛾術軒篋存善本書録》（王欣夫撰二〇〇二年十二月上海古籍出版社）

（是書龔自珍撰，同治七年錢塘吴煦刻本，清武陵蔡鐘濬臨長沙葉德輝校本并跋）

三十六、《詩圗》稿本，龔橙著。現藏南京圖書館。

此書語意奇特，至不可句讀。圗音銀。

自序云：『古圗者皆不能，能言正為此懼。陰陽之配加一銅夾，可以知律，取妻占之出乎？光緒四年八月旦臘正奇寒，夏秋覺熱，疫氣時行，災異戳見遍天下。六十二老人龔橙自序於上海洋場。』

三十七、藏書家藏園傳增湘藏有龔橙手書書法三種，計有：漢史游急就章，梁周興嗣千字文、南唐韓熙載奉敕集王羲之書五百字。烏絲欄，縱横寫字體極為雄偉，可謂異軍突起別開生面。

三十八、《花好月圓人健室》額

為龔橙所書草篆室額，原金天翮舊藏，輾轉歸冒廣生藏，冒以贈蘇淵雷。冒廣生跋云：『龔孝拱書怪如其人。曩在高野侯家，曾見其隸書三尺楹帖。此為亡友金松岑（即天翮）故物。今歸淵雷，屬為題識，以俟玄賞。甲午三月八十一叟冒廣生。』蘇淵雷自題：『常言道：「原花長好，月長圓，人長壽。」孝拱此室額，易為「花好月圓人健」，殆有深意』。

上見《鉢水齋外集》（一九九四年四月華東師範大學出版社出版）

三十九、《重刊宋紹熙公羊傳注附音本校記》一卷。清仁和龔橙、邵陽魏彦同輯。同治二年，金陵書局刊，此書附春秋公羊經傳解詁後。（見孫殿起撰《販書偶記續編·卷二》）

四十、《龔孝拱遺札》二十五通。（刊於一九四五年《中和月刊》第六卷三、四期）

四十一、《清邋搨史》三卷（見柴萼《梵天廬叢録》卷十一）

四十二、《容成遺術》（見同前）

四十三、《龔公襄所著書》不分卷（臺北國家圖書館善本書室藏）

四十四、《漢碑文考釋》（稿本，不分卷。重慶市圖書館藏）

四十五、《龔橙手鈔定盦詞稿》（不分卷。私人藏）

附錄三：

題龔孝拱故居　夏承燾（見《文瀾學報》第三卷第二期一九三七年六月）

（舊居在杭之章家橋新開弄）

龔生不狂誰復憐，垂老半倫身傫然。
掉頭聽人談名父，歸家放筆删詩篇。
高文幾輩識倉沮，絶倒斯冰指畫肚。
還君一掬羽琌蟫，夜夜秋墳驚幽語。
衡山先生老閉關，昨者語我開歡顔。
萬千今不惜脱手，吾樓金寶氣如山。
我笑先生寧有此？剩輦空車向咸市。
幽憂政坐注蟲魚，奇字况難究終始。
不為一杯酹樊謝，東城沈魄呼可起。

注：夏承燾，我國現代著名文史學家、詩詞大家。

題龔孝拱故居二首　　　李洣（見《文瀾學報》第三卷第二期）

（龔氏曾住杭之新開弄半年，在清泰門內）在此完成《六典》

寂寞一區楊子宅，當年狂客此棲遲。
書淫墨癖誰能敵，雪篡霜鈔自不辭。
六典形聲傳定本，半倫身世寓深悲。
黄金散盡紅顔老，賸欲呼天為問之。

永嘉詞客同岑友，首唱歌詩當表閭。
相與低回懷古躅，未能抛去愛吾廬。
江山文藻初無恙，湖海豪情總不如。
重有竹林遺傑在，東城待續太鴻書。

注：李洣，現代文史學家，字佩秋，號佩翁。杭州人。原在浙江省圖書館工作。